AMASSANDO O PÃO QUE O DIABO ME DEU

camila felix

URUTAU
agosto de 2024

O —

editora Urutau

rua do cajú, 478
jardim das cerejeiras, 06724-015
cotia-sp
brasil

rua dr. manuel pacheco nobre, 128, 5 esquerdo
2830-080 barreiro (setúbal)
portugal

[+55] 11 95608 8983 [brasil]
www.editoraurutau.com

[EDITORA]
debora ribeiro rendelli
[REVISÃO]
victor negri
[PROJETO GRÁFICO]
wladimir vaz
[COORDENAÇÃO GRÁFICA]
tiago fabris rendelli
[DIAGRAMAÇÃO]
victor h. azevedo

Dados Internacionais de Catalogação na Publicação (CIP) de acordo com ISBD

Felix, Camila
F316a Amassando o pão que o diabo me deu / Camila Felix. – Cotia : Urutau, 2024.
72 p. ; 13cm x 16,5cm.

ISBN: 978-65-5900-728-8

1. Literatura brasileira. 2. Poesia. I. Título.

2024-2254
CDD 869.1
CDU 821.134.3(81)-1

Elaborado por Vagner Rodolfo da Silva - CRB-8/9410

Índice para catálogo sistemático:
1. Literatura brasileira : Poesia 869.1
2. Literatura brasileira : Poesia 821.134.3(81)-1

SUMÁRIO

[9] [encontro sem delírio]
[11] abstinência
[13] alba
[15] saudade
[17] me lembro de inventar o queijo de puxar
[19] se meu estômago falasse
[21] quem te vê, não te viu
[23] poderia eu dizer amor?
[25] [o sol]
[27] videochamada
[29] a palavra trai
[31] roubada
[33] exercício
[35] suruba
[37] like a rolling stone
[39] injúria
[41] sem sentidos
[43] cromoterapia
[45] boate
[47] fim de festa
[49] [só lacan expulsa]
[51] perca tempo
[53] em trânsito
[55] existe cidade em mim?
[57] exília
[59] [acordei abraçada]

[61] lânguida
[63] lavada em lágrimas
[65] luz
[67] ode a lúcifer

*

um encontro sem delírio
não é romântico
coração,
apenas órgão vital

na cama sem desejo
o corpo é o tempo da noite
e solidão é o nome do meu gato

abstinência

um, dois
trinta dias
medalha de um mês
sem lhe falar

um, dois
sessenta dias
quebro o pacto
conto de novo

alba

o dia anuncia
a hora do café
o tempo de ver o mar

ler filosofia
escrever o amor por um ausente
há tantos sonhos para lembrar

saudade

os cafés da manhã
opostos em tudo
um saciava o outro
com silêncio e frutas
café e mexerico
pão de queijo
pão e queijo

devaneios e causos
pensamentos frutíferos
sempre prontos
e bem alimentados
para dominar o mundo

me lembro de inventar o queijo de puxar

na mesa da manhã
sempre queijo branco
favorito de mamãe
queijo branco mineiro
gelado e fresco

certo dia
quebrei as regras
esquentei a chapa

pão dourado na manteiga
café preto, amargo
orgulhosa, sentei-me à mesa
com a grande novidade
queijo quente

a cada mordida
um grande fio
costurava os lábios com a língua

os dentes cortavam feito tesoura
aquele delicioso prazer

se meu estômago falasse

se meu estômago falasse
diria logo pela manhã
café amargo com cigarro
não cai bem

após o almoço
preguiçoso
à sombra na rede do quintal
queimando rabugento
com as mentiras no instagram

se meu estômago falasse
diria não para suco verde
alface e carne seca
com voz rouca no boteco
pediria cerveja gelada
porção de fritos
para dormir satisfeito

quem te vê, não te viu

lembro Leminski
distraídos venceremos
assim, venci a solidão

para mamãe
não tinha foco
papai dizia,
pura indecisão
coragem,
ninguém viu

dizer não
tão fácil
quanto um sim
difícil
ver o outro
lidar com o não
saindo da boca

calada, venci
há quem diga
pura sorte
mirou no que viu
acertou no que não viu

poderia eu dizer amor?

eu poderia derramar lágrimas por você
e dizer que verso só se faz com amor
poderia escrever um poema triste
e dizer que faço parte de ti

a língua tem dessas:
lambe a ferida aberta
cicatriza o desejo
compartilha intimidades covardes

nenhum valor às palavras acesas
fagulhas de carência no papel
inflamável

*

o sol
maior
se põe
horizonte
em mi
menor
dó
de ti
que corre
em ré ré ré

videochamada

você me visita em sonho
para dizer as coisas que não tem coragem de

a palavra trai

o que não sai pela palavra
sai pelos olhos

roubada

peguei pra mim
o melhor de ti
e fui embora

a isso chamam amor

exercício

para cair em mim
sair de ti
esquecer o nós
e lembrar o eu

suruba

eu você
ela
nós seis
poliamor
todos
com cada um

cada dois
um par
divide tudo
cada um
em seu lugar

like a rolling stone

passei a noite rindo aos absurdos só de pensar
que teu nome no feminino é Pedra

injúria

meu nome na tua língua
me soa proibido

na boca
confessa teus demônios

sem sentidos

na tua língua
moram meus olhos
que só enxergam em você
o que eles querem

cromoterapia

verde te quero esperança
no azul da calma
me encontra vermelha

amor brando rosa
colore dias de preto
conforto escuro

boate

um brinco
perdido
num beijo
roubado

fim de festa

observe o silêncio das garrafas sobre a mesa.

*

SÓ LACAN
EXPULSA
OS DEMÔNIOS
DAS PESSOAS

perca tempo

tempo
faça um acordo comigo
nem lebre
nem tartaruga
perco tempo
para ganhar formosura
contar o tempo
nunca foi comigo

em trânsito

acordei na Fragária
dormi em São Paulo
acordei na estrada
dormi em Maricá
acordei na praia
dormi na estrada
acordei em São Paulo
dormi em Passa Quatro
acordei na estrada
dormi no meio da mata